El CUADERNILLO DE ESCRITURA CURSIVA

 para niños

Este libro pertenece a

Mándanos un correo
electrónico a
modernkidpress@gmail.com
para conseguir contenido
extra gratuito.

———————

Solo tienes que poner en el asunto
"Escritura cursiva para niños"
y te enviaremos algunas sorpresas.

El cuadernillo de escritura cursiva para niños

Contenido

¿Por qué deberías enseñar a tus hijos a escribir en cursiva?

Creemos que sigue siendo muy importante enseñarles a tus hijos el arte y la técnica de la escritura cursiva. Incluso en esta era digital, se sabe que escribir a mano estimula el cerebro más que cualquier otra cosa. Estos son algunos de los beneficios:

1. Cuando los niños crecen y se hacen adultos, tendrán que firmar todo tipo de documentos importantes. La letra cursiva les ayudará a desarrollar una firma única. Las investigaciones han demostrado que las firmas cursivas son más difíciles de falsificar que las hechas con letra de imprenta.

2. Las investigaciones indican que escribir letras en cursiva activa una parte diferente del cerebro que las letras de imprenta. Aprender a escribir en cursiva también es bueno para mejorar la motricidad.

3. El acto físico de escribir en cursiva ayuda a conseguir un mayor nivel de comprensión. Además, la escritura en cursiva es, por lo general, más rápida que la escritura en letra de imprenta, por lo que, a medida que los niños crecen, puede resultar más eficaz, sobre todo a la hora de hacer exámenes.

¡Acuérdate siempre de animar a tus hijos a

divertirse

cuando practiquen esta nueva habilidad!

PRIMERA PARTE:
Letras

En esta sección vamos a practicar la formación de cada letra cursiva, tanto en mayúsculas como en minúsculas. Empieza por observar cada letra en negrita. Fíjate en los números y las flechas que indican en qué dirección debe ir el lápiz y dónde empieza y termina cada letra. ¡Después, traza las letras hechas con líneas de puntos antes de probar a crear algunas letras por tu cuenta!

El alfabeto en cursiva

Aa Bb Cc Dd

Ee Ff Gg Hh

Ii Jj Kk Ll

Mm Nn Ññ Oo

Pp Qq Rr Ss

Tt Uu Vv Ww

Xx Yy Zz

a, de antìlope

a

a

B, de ballena

B

b

C, de camaleòn

C

c c c c c c c c c c c c

c c c c c c c c c c c c

C

c c c c c c c c

c c c c c c c c

D, de
dinosaurio

D D D D D
D D D D D

d d d d d d
d d d d d d

E, de elefante

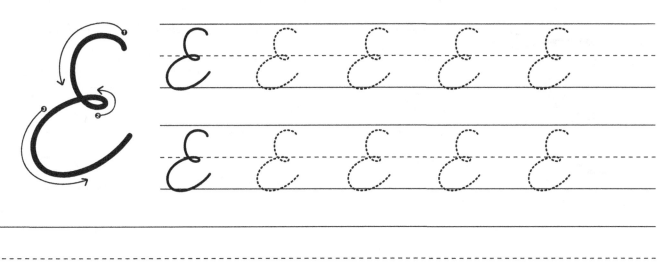

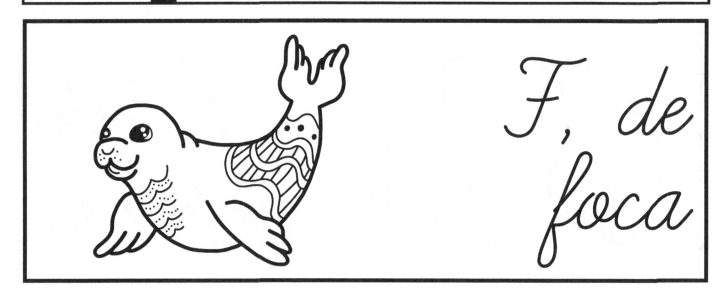

F, de
foca

G, de
gallina

H, de hàmster

H

H H H H H

H H H H H

h

h h h h h h

h h h h h h

*I, de
iguana*

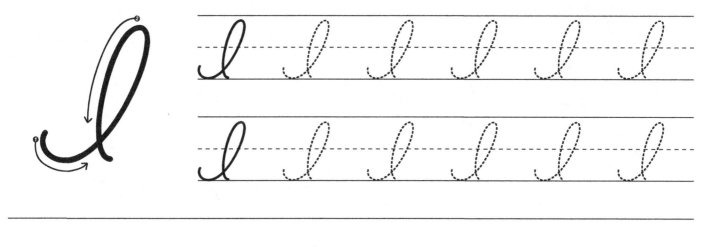

J, de jaguar

K, de kiwi

K K K K K K

K K K K K

k k k k k k

k k k k k k

L, de leòn

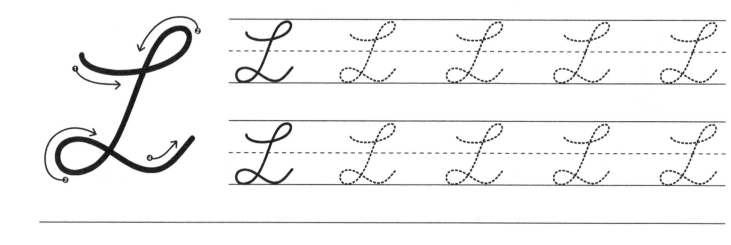

M, de mono

$\mathcal{M}$ m m m m m
m m m m

$\mathcal{M}$ m m m m
m m m m

n, de numbat

$\mathcal{N}$ n n n n n n

n n n n n

n n n n n n

n n n n n

Ñ,
de ñu

𝒩 n

Ñ   ñ   ñ   ñ   ñ

Ñ   ñ   ñ   ñ   ñ

n

ñ   ñ   ñ   ñ   ñ

ñ   ñ   ñ   ñ   ñ

O, de
oso

P, de pingüino

P P P P P P

P P P P P P

p p p p p p

p p p p p p

Q, de quebrantahuesos

R, de
rinoceronte

R

R R R R R R

R R R R R R

r

r r r r r r

r r r r r r

S, de serpiente

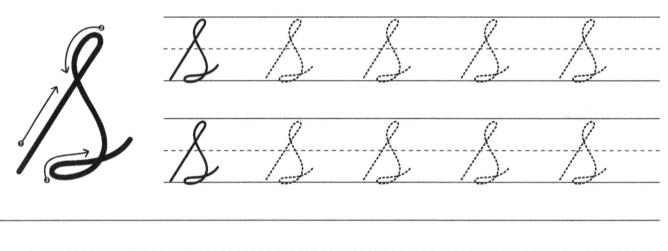

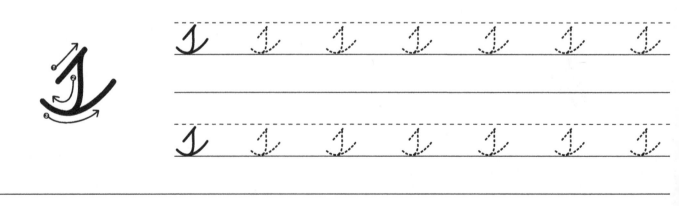

T, de tigre

T

T T T T T T

T T T T T T

t

t t t t t t t

t t t t t t t

U, de unicornio

𝒰

𝒰 𝒰 𝒰 𝒰 𝒰

𝒰 𝒰 𝒰 𝒰 𝒰

𝓊

𝓊 𝓊 𝓊 𝓊 𝓊

𝓊 𝓊 𝓊 𝓊 𝓊

V, de
vaca

𝒱

ν

W, de walabì

$\mathcal{X}$, de
xerus

$\mathcal{X}$ $\mathcal{X}$ $\mathcal{X}$ $\mathcal{X}$ $\mathcal{X}$

$\mathcal{X}$ $\mathcal{X}$ $\mathcal{X}$ $\mathcal{X}$ $\mathcal{X}$

x x x x x x

x x x x x x

Y, de yeti

Y

y

z, de
zorro

Has conseguido terminar las letras. ¡Buen trabajo!
Ahora vamos a repasar el alfabeto. ¡Desde la A hasta la Z!

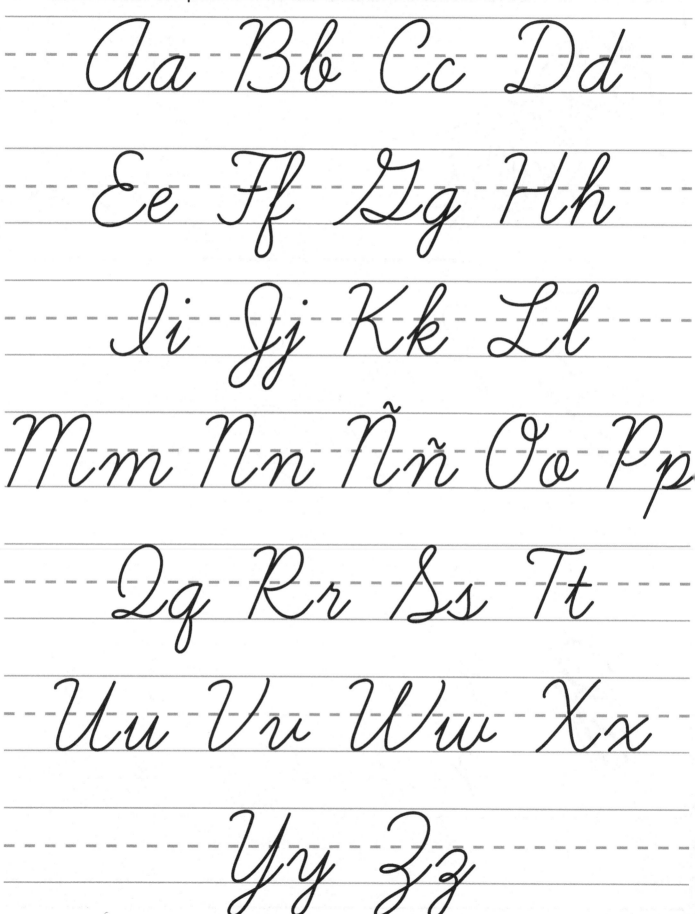

¡Ahora practica los trazos de cada una de las letras!

Aa Bb Cc Dd

Ee Ff Gg Hh

Ii Jj Kk Ll

Mm Nn Ññ Oo Pp

Qq Rr Ss Tt

Uu Vv Ww Xx

Yy Zz

¡Bien hecho! ¡Ahora hazlo por tu cuenta! Puedes usar la página de la izquierda como guía.

¡Ahora escribe el alfabeto sin ayuda!
Intenta hacerlo sin mirar la guía.

Segunda parte:
Palabras

¡Vamos a intentar juntar las letras para formar palabras! El truco está en acordarse de que el final de una letra es también el principio de la siguiente. Intenta tenerlo en cuenta mientras escribes cada una de las palabras. No te olvides de mantener el lápiz sobre el papel todo el tiempo. Oblígate a no apartarlo del papel hasta que hayas terminado de formar la palabra. La mejor forma de aprender es practicando, ¡así que vamos a ello!

En esta sección, repasa cada una de las palabras por encima de la línea de puntos, y luego intenta escribirla sin ayuda en el espacio de debajo.

¡Lo estás haciendo *genial*!

ave ave ave ave ave

arroz arroz arroz arroz

araña araña araña

antílope antílope antílope

Àlex Àlex Àlex Àlex

bota bota bota bota bota

barba barba barba

bola bola bola bola

buho buho buho buho

Brasil Brasil Brasil

coche coche coche coche

casa casa casa casa

cine cine cine cine

caballo caballo caballo

Chicago Chicago Chicago

día *día* *día* *día* *día*

dardo *dardo* *dardo* *dardo*

dedo *dedo* *dedo* *dedo*

dinosaurio *dinosaurio*

David *David* *David*

ABCD**E**FGHIJKLMNOPQRSTUVWXYZ

eclipse eclipse eclipse

erizo erizo erizo erizo

equipo equipo equipo

elefante elefante elefante

Elena Elena Elena

faro   faro   faro   faro

fresa   fresa   fresa   fresa

foto   foto   foto   foto

foca   foca   foca   foca

Francia   Francia   Francia

galleta galleta galleta

girar girar girar girar

gallo gallo gallo gallo

granja granja granja

Grecia Grecia Grecia

hola *hola hola hola*

hoguera *hoguera hoguera*

hierba *hierba hierba*

huevo *huevo huevo*

Heidi *Heidi Heidi Heidi*

isla   isla   isla   isla   isla

iglú   iglú   iglú   iglú   iglú

imàn   imàn   imàn   imàn

iguana   iguana   iguana

Islàndia   Islandia

jardìn   jardìn   jardìn

jersey   jersey   jersey

jugar   jugar   jugar   jugar

jabòn   jabòn   jabòn

Jùpiter   Jupiter   Jupiter

karaoke karaoke karaoke

kiwi kiwi kiwi kiwi kiwi

kilo kilo kilo kilo kilo

koala koala koala

Kenia Kenia Kenia

luz luz luz luz luz

letra letra letra letra

largo largo largo largo

lunes lunes lunes lunes

Londres Londres

mucho   mucho   mucho

mayo   mayo   mayo

melòn   melòn   melòn

mirlo   mirlo   mirlo   mirlo

Mùnich   Mùnich

ño   no   no   no   no

nunca   nunca   nunca

ñoño   ñoño   ñoño   ñoño

ñoqui   ñoqui   ñoqui

ñu   ñu   ñu   ñu   ñu

ojo ojo ojo ojo ojo

océano océano océano

orilla orilla orilla orilla

orangután orangután

Oliver Oliver Oliver

padre padre padre

pensar pensar pensar

paraguas paraguas

pie pie pie pie pie

Plutón Plutón Plutón

queso   queso   queso   queso

quieto   quieto   quieto

quedar   quedar   quedar

quinto   quinto   quinto

quitar   quitar   quitar

remo   remo   remo   remo

risa   risa   risa   risa

rana   rana   rana   rana

romano   romano

Rusia   Rusia   Rusia

soja soja soja soja soja

seta seta seta seta seta

sàbana sàbana sàbana

sierra sierra sierra sierra

Suiza Suiza Suiza

tarta *tarta* *tarta* *tarta*

terrón *terrón* *terrón*

tubo *tubo* *tubo* *tubo*

tiara *tiara* *tiara* *tiara*

Teo *Teo* *Teo* *Teo* *Teo*

usar usar usar usar

uñas uñas uñas uñas

urraca urraca urraca

unir unir unir unir

Uraguay Uraguay

vaca vaca vaca vaca

vinilo vinilo vinilo

volar volar volar volar

velo velo velo velo

Virginia Virginia

waterpolo waterpolo

windsurf windsurf

Wally Wally Wally

Wyoming Wyoming

Wendy Wendy Wendy

xilòfono xilòfono

X-Men X-Men X-Men

xerus xerus xerus xerus

Ximena Ximena

Xavier Xavier Xavier

yate yate yate yate

yeso yeso yeso yeso

yogur yogur yogur yogur

yunque yunque yunque

Yoda Yoda Yoda Yoda

zapato   zapato   zapato

zanahoria   zanahoria

zorro   zorro   zorro

zafiro   zafiro   zafiro

Zara   Zara   Zara   Zara

TERCERA PARTE:
Nùmeros y demàs

Ahora que has aprendido a conectar las letras para
formar palabras, ¡vamos a practicar los números,
los días de la semana y los meses del año!

Repasa cada número y luego inténtalo por tu cuenta.
¿Preparados? 3, 2, 1... ¡Vamos!"

0   cero

1   uno

2   dos

3   tres

4   cuatro

5   cinco

6   seis

7   siete

8   ocho

9   nueve

10   diez

¡Ahora es el turno de los días de la semana!
Repásalos primero y luego prueba por tu cuenta.

Monday

lunes

Tuesday

martes

Wednesday

miércoles

Thursday

jueves

Friday

viernes

Saturday

sábado

Sunday

domingo

Ya sabes cómo va la cosa. Primero repasa, ¡y luego
prueba por tu cuenta!

enero   enero

febrero   febrero

marzo   marzo

abril   abril

mayo   mayo mayo

junio   junio junio

julio   julio   julio

agosto   agosto agosto

Y los últimos cuatro meses son...

septiembre *septiembre*

octubre *octubre*

noviembre *noviembre*

diciembre *diciembre*

CUARTA PARTE:
Frases

En esta sección vamos a seguir mejorando la memoria muscular uniendo palabras para formar frases... ¡frases absurdas! Diviértete con estas frases graciosas mientras repasas cada palabra, y luego prueba por tu cuenta.

Ayer, Abel aprendió a andar.

Ayer, Abel aprendió a andar.

Blanca baila ballet y bebe batidos.

Blanca baila ballet y bebe batidos.

Los conejos de Carol comen
canela.

Los conejos de Carol comen
canela.

Los dragones divertidos
dividen los dònuts.

Los dragones divertidos
dividen los dònuts.

El elefante espía a Esmeralda.

El elefante espía a Esmeralda.

Fátima la foca fabrica frascos.

Fátima la foca fabrica frascos.

Guille y Gema gatean y

gruñen como gatos.

Guille y Gema gatean y

gruñen como gatos.

Hoy, Hugo huyó de su

hermana.

Hoy, Hugo huyó de su

hermana.

Icelandic igloos Los iglús
islandeses son inmensos.
are immense.
Icelandic igloos Los iglús
islandeses son inmensos.
are immense.

Juntos, José y Jesús van
al jardín.
Juntos, José y Jesús van
al jardín.

Kiko quiere un kilo de kiwis.

Kiko quiere un kilo de kiwis.

Lee un libro sobre la llama Laura.

Lee un libro sobre la llama Laura.

Muchos monstruos madrugan

los miércoles.

Muchos monstruos madrugan

los miércoles.

Nueve nutrias nadan por la

noche.

Nueve nutrias nadan por la

noche.

Osos y orcas ojearon la orilla.

Osos y orcas ojearon la orilla.

Penèlope preparò un pastel de

patatas.

Penèlope preparò un pastel de

patatas.

Quique quiere quinoa con queso.

Quique quiere quinoa con queso.

El rey ratón reía con la reina

rata.

El rey ratón reía con la reina

rata.

Siempre sale el sol los sàbados

Siempre sale el sol los sàbados

Tomaremos tè y tarta esta tard

Tomaremos tè y tarta esta tard

Un unicornio usó el ukelele.

Unicorns like unique ukuleles.

Vanesa vio violetas en el valle.

Vanesa vio violetas en el valle.

Wendy juega al windsurf y al
waterpolo.

Wendy juega al windsurf y al
waterpolo.

Xavier toca el xilófono.

Xavier toca el xilófono.

Yo ya no quiero yogur.

Yo ya no quiero yogur.

Zacarías bebe zumo en Zamora.

Zacarías bebe zumo en Zamora.

QUINTA PARTE:
Ideas

No existe mejor manera de perfeccionar la escritura cursiva que... ¡escribiendo en cursiva! Ser constante con la práctica te ayudará a recordar cómo se forman las letras y al final te saldrá solo. Lee las ideas de las páginas siguientes y responde *¡en cursiva!*

Unos alienígenas te han abandonado
en un planeta desconocido.
¿Qué aspecto tiene?

¡Acuérdate de escribir en cursiva!

¿Cómo hace Papá Noel todos los juguetes?

¡Acuérdate de escribir en cursiva!

¡Ha entrado un hada en tu habitación
para concederte un deseo!
¿Qué le vas a pedir?

¡Acuérdate de escribir en cursiva!

Si tus animales de peluche pudieran hablar, ¿qué dirían?

¡HOLA!

¡Acuérdate de escribir en cursiva!

¿Qué harías si encontraras un sombrero mágico?

¡Acuérdate de escribir en cursiva!

Describe a un personaje cuyo nombre
sea Susi la serpiente.

¡Acuérdate de escribir en cursiva!

Te acaban de contratar como el nuevo espía de una agencia.
¿Cuál es tu misión?
¡Acuérdate de escribir en cursiva!

¡Oh, no! ¡Te han encogido y te has
quedado del tamaño de un ratón!
¿Y ahora qué?
¡Acuérdate de escribir en cursiva!

¡Bien hecho!

¡Has terminado el cuadernillo! Y te has ganado un premio... ¡Aquí lo tienes! Escribe tu nombre en el centro y siéntete orgulloso de ti mismo y de lo que has aprendido.

Muéstrale al mundo lo bonita que es tu caligrafía. Si quieres seguir practicando, aquí tienes más ideas:

1) Escríbele una carta a un familiar.
2) Escríbele una nota de agradecimiento a tu profe.
3) ¡Redacta una invitación para una fiesta!^

¡Pero recuerda escribir en *cursiva*!

El premio a la caligrafía perfecta:

Escribe aquí tu nombre

Made in the USA
Las Vegas, NV
23 May 2024

90289401R00057